◆FOCUS◆
Leer para triunfar

Trabajar y jugar

PROGRAM AUTHORS
Richard L. Allington
Ronald L. Cramer
Patricia M. Cunningham
G. Yvonne Pérez
Constance Frazier Robinson
Robert J. Tierney

PROGRAM CONSULTANTS
George Blanco
Bernadine J. Bolden
Fred Chávez
Ann Hall
Sylvia M. Lee
Dolores Pérez
Jo Ann Wong

CRITIC READERS
María P. Barela
Phinnize J. Brown
Jean C. Carter
Gabriela Mahn
Nancy Peterson
Nancy Welsh
Kay Williams

John C. Manning, *Instructional Consultant*

SCOTT, FORESMAN AND COMPANY
Editorial Offices: Glenview, Illinois

Regional Sales Offices: Palo Alto, California •
Tucker, Georgia • Glenview, Illinois •
Oakland, New Jersey • Dallas, Texas

ACKNOWLEDGMENTS

Text
"We Sang Songs" from *City Sun* by Eleanor Schick, Copyright ©
1974 by Eleanor Schick. Reprinted with permission of Macmillan
Publishing Co, Inc.

From *Another Here and Now Story Book* by Lucy Sprague Mitchell.
Copyright, 1937, E. P. Dutton & Co., Inc. Renewal, 1965, by
Lucy Sprague Mitchell. Reprinted by permission of the
publisher, E. P. Dutton, Inc.

Artists
Connelly, Gwen: Pages 6–7, 8–15, 18–27, 30–47, 58–61;
Iosa, Ann: Pages 16–17, 48–57;   Dypold, Pat: Pages 28–29;
Cochran, Bobbye: Pages 62–63

Under the direction of Scott, Foresman and Company,
developed and produced by Educational Challenges, Inc.

Contenido

Sección uno   **5** Trabajar y jugar

Unidad 1 ◆   6 Diversión en la escuela

8 La caja

12 El oso

16 Sólo para ti

Unidad 2 ◆ 18 Hagamos música

20 Música

24 Marchar con música

28 Cantamos canciones
por Eleanor Schick

30 La pelota

(un cuento de dibujos sin palabras)

Unidad 3 ◆ 34 ¿A quién le gusta el sol?

36 El sol, la lluvia

41 Lluvia azul, sol amarillo

Unidad 4 ◆ 46 Libros para leer

48 ¿A quién le gustan los libros?

53 Una casa verde para un oso

58 Un ratón en una casa

62 La casa de la ratoncita
por Lucy Sprague Mitchell

64 Lista de palabras

Trabajar y jugar

Diversión en la escuela

La caja

El niño tiene una caja.

David ve la caja .

Pat ve la caja .

El niño tiene un <u>oso</u>.

A David le gusta el oso.

A Pat le gusta el oso.

Al oso le gusta David.

Al oso le gusta Pat.

El oso

José tiene un oso.

A David le gusta el oso.

A Pat le gusta el oso.

Pat pinta un oso grande.

Pat pinta una gorra para el oso grande.

Pat pinta el oso grande para David.

David pinta un oso grande.

David pinta un papalote para el oso grande.

David pinta el oso grande para Pat.

José tiene un oso.

David tiene un oso.

Pat tiene un oso.

Sólo para ti

EL VIEJO OESTE

Hagamos música

19

Música

José ve los  cascabeles .

A José le gustan los  cascabeles .

José toca los cascabeles .

José toca música para David.

José toca música para Pat.

David ve el  tambor grande.

A David le gusta el tambor grande.

Pat ve el tambor grande.

A Pat le gusta el tambor grande.

David tiene el  tambor grande.

David toca música.

Pat toca el  tambor grande.

Pat toca música.

Marchar con música

A David le gusta marchar.

A Pat le gusta marchar.

A José le gusta marchar.

David toca la  corneta .

David toca música.

Pat toca el tambor .

Pat toca música.

José toca los  cascabeles .

José toca música.

A la niña le gusta la música.

A David le gusta marchar.

A Pat le gusta marchar.

A José le gusta marchar.

¡A la niña le gusta marchar!

Cantamos canciones

por Eleanor Schick

Cantamos
canciones
en clase
esta tarde,
y ahora
mis zapatos
me las cantan
a mí.

La pelota

ESCUELA
CALLE CENTRAL

¿A quién le gusta el sol?

El sol, la lluvia

¿Quién ve el sol amarillo?

David ve el sol amarillo.

A David le gusta el sol amarillo.

¿Quién ve la  foca ?

Pat ve la  foca .

A Pat le gusta la  foca .

¿Quién ve el  chango ?

Laura ve el chango .

A Laura le gusta el chango .

Pat ve la foca .

David ve el sol amarillo.

Laura ve el chango .

¿Quién ve la lluvia?

¡David!

¡Pat!

¡Laura!

¿A quién le gusta la lluvia?

Lluvia azul, sol amarillo

¿A quién le gusta la lluvia?

A José le gusta la lluvia.

José tiene un poco de pintura azul.

José pinta un poco de lluvia azul.

¿Quién tiene un poco de pintura azul?

José tiene un poco de pintura azul.

José pinta un **sombrero** azul grande.

José pinta unas **botas** azules grandes.

¿A quién le gusta el sol?

A David le gusta el sol.

David tiene un poco de pintura amarilla.

David pinta un sol amarillo.

¿Quién tiene un poco de pintura amarilla?

David tiene un poco de pintura amarilla.

David pinta un **sombrero** amarillo.

David pinta unas **botas** amarillas grandes.

¿A quién le gusta la lluvia azul?

A José le gusta la lluvia azul.

¿A quién le gusta el sol amarillo?

A David le gusta el sol amarillo.

Libros para leer

¿A quién le gustan los <u>libros</u>?

Oso Grande tiene un libro.

A Oso Grande le gusta el libro.

Oso Grande juega.

A Oso Grande le gustan los libros
azules grandes.

A Oso Grande le gustan los libros
azules pequeños.

A Oso Grande le gustan los libros
amarillos grandes.

A Oso Grande le gustan los libros
amarillos pequeños.

Oso Pequeño tiene un libro.

A Oso Pequeño le gusta leer.

A Oso Pequeño le gusta leer el libro.

Oso Pequeño ve a Oso Grande.

Oso Pequeño ve los libros.

¿A quién le gusta leer libros?

A Oso Pequeño le gusta leer libros.

A Oso Grande le gusta leer libros.

Una casa verde para un oso

El oso puede leer un libro.

El oso ve una casa verde

grande en el libro.

El oso ve una casa verde

pequeña en el libro.

Al oso le gustan las casas verdes.

El oso tiene una casa pequeña.

El oso tiene un poco de pintura.

¿Puede el oso pintar de verde

la casa pequeña?

El oso tiene un poco de pintura azul.

El oso tiene un poco de pintura amarilla.

El oso hace un poco de pintura verde.

El oso hace un poco de pintura verde en

un  grande.

El oso puede pintar el techo de verde.

El oso puede pintar la puerta de verde.

El oso puede pintar la

casa pequeña de verde.

Al oso le gustan las casas verdes.

Al oso le gusta leer libros.

El oso puede leer en la

casa verde pequeña.

El oso puede leer libros en la

casa verde pequeña.

Un  ratón en una casa

Laura hace una casa azul para

un ratón.

El ratón tiene una casa.

El ratón tiene una casa.

David hace una casa amarilla pequeña

para un  ratón .

El ratón tiene una casa.

El ratón tiene una casa.

El  ratón hace una casa

para un ratón.

El ratón tiene una casa.

El ratón tiene una casa.

¡Al  ratón le gusta la casa!

La casa de la ratoncita

por Lucy Sprague Mitchell

La casa de la ratoncita
es una casa muy bonita,
una casita verde en el campo
que las personas grandes y pesadas,
buscan y buscan con sus miradas,
pero no encuentran aunque
miran tanto,

esta casita bonita,
arregladita, pequeñita,
escondida en el campo.

Lista de palabras

6 – 17

tiene

oso

grande

para

un

poco

de

pintura

azul

18 – 33

música

toca

marchar

con

46 – 63

libro

juega

pequeño

leer

puede

en

casa

verde

hace

34 – 45

¿quién?

sol

amarillo

Grande y pequeño

PROGRAM AUTHORS
Richard L. Allington
Ronald L. Cramer
Patricia M. Cunningham
G. Yvonne Pérez
Constance Frazier Robinson
Robert J. Tierney

PROGRAM CONSULTANTS
George Blanco
Bernadine J. Bolden
Fred Chávez
Ann Hall
Sylvia M. Lee
Dolores Pérez
Jo Ann Wong

CRITIC READERS
María P. Barela
Phinnize J. Brown
Jean C. Carter
Gabriela Mahn
Nancy Peterson
Nancy Welsh
Kay Williams

John C. Manning, *Instructional Consultant*

SCOTT, FORESMAN AND COMPANY
Editorial Offices: Glenview, Illinois

Regional Sales Offices: Palo Alto, California •
Tucker, Georgia • Glenview, Illinois •
Oakland, New Jersey • Dallas, Texas

ACKNOWLEDGMENTS

Text
"I Like You" by Masuhito. From *I Like You and Other Poems for Valentine's Day*, edited by Yaroslava. Charles Scribner's Sons, 1976.

Artist
Hockerman, Dennis: Pages 6–31, 34–63

Photographs
Scott, Foresman & Co.: Pages 32–33

Cover Artist
Dennis Hockerman

Under the direction of Scott, Foresman and Company, developed and produced by Educational Challenges, Inc.

Contenido

Sección uno   **5**   Grande y pequeño

Unidad 1 ◆ 6   Hacer felices a los amigos

      8   Un gorro para Ratón

    12   La carcajada

Unidad 2 ◆ 16   Aprender a jugar

    18   Patear la pelota

    22   ¿Quién se queda con la pelota?

    28   ¿Quién quiere a Ratón?
(un cuento de dibujos sin palabras)

    32   Sólo para ti

Unidad 3 ◆ 34 Trabajar juntos

36 El papalote azul y amarillo

41 Ven a la cueva

Unidad 4 ◆ 46 Diversión en el lago

48 El lago

53 El divertido paseo en lancha

59 Ven a pasear con Elefante

63 Me caes bien
por Masuhito

64 Lista de palabras

Cuentos por: Katy Hall

Grande y pequeño

Hacer felices a los amigos

Un gorro para Ratón

Oso le da un gorro a Ratón.

Oso le da un gorro azul a Ratón.

Ratón tiene un gorro azul.

Elefante le da un gorro a Ratón.

Elefante le da un gorro amarillo a Ratón.

Ratón tiene un gorro amarillo pequeño.

Ratón tiene un gorro azul muy, muy largo.

Ratón le da el gorro largo a Elefante.

Ratón le da el gorro azul largo a Elefante.

Elefante tiene el gorro azul largo.

Ratón tiene el gorro amarillo pequeño.

A Elefante le gusta el gorro azul largo.

A Ratón le gusta el gorro amarillo pequeño.

A Elefante le gusta Ratón.

A Ratón le gusta Elefante.

La carcajada

Ratón tiene un libro divertido.

El libro divertido hace reír a Ratón.

A Ratón le gusta reírse.

Ratón suelta una carcajada.

A ratón le gusta leer libros divertidos.

Ratón puede leerle el libro

divertido a Elefante.

Ratón suelta una carcajada.

¿Puede Elefante reírse?

Ratón toca música para Elefante.

Ratón suelta una carcajada.

¿Puede Elefante reírse?

Ratón puede dibujar un elefante gracioso.

A Elefante le gusta el elefante gracioso.

Ratón suelta una carcajada.

Elefante suelta una carcajada.

¡Elefante se puede reír!

Grande y pequeño

Aprender a jugar

Patear la pelota

Elefante tiene una pelota.

La pelota es grande.

Elefante es grande.

Elefante patea la pelota hasta un  árbol .

Ratón tiene la pelota.

La pelota es grande.

Ratón es pequeño.

¿Puede Ratón patear la pelota grande?

¿Puede Ratón patear la pelota hasta el ?

La pelota es grande.

Ratón es pequeño.

Ratón no puede patear la pelota grande.

Elefante patea la pelota.

Elefante patea la pelota para Ratón.

¡Elefante patea la pelota hasta el  árbol !

¿Quién se queda con la pelota?

A Ratón le gusta correr.

A Ratón le gusta jugar a la pelota.

Oso no quiere darle la pelota a Ratón.

Oso quiere quedarse con la pelota.

A Elefante le gusta correr.

A Elefante le gusta jugar a la pelota.

Oso no quiere darle la pelota a Elefante.

Oso quiere quedarse con la pelota.

Ratón no puede jugar a la pelota.

Elefante no puede jugar a la pelota.

Oso se quiere quedar con la pelota.

¿Se quedará Oso con la pelota?

Oso ve una  colmena .

Oso corre hacia la colmena .

¿Correrá Ratón hacia la pelota?

¿Correrá Elefante hacia la pelota?

Las  abejas ven a Oso.

Oso corre.

Oso no va a jugar.

Oso no se va a quedar con la pelota.

Elefante tiene la pelota.

Ratón tiene la pelota.

¡Elefante se quedará con la pelota!

¡Ratón se quedará con la pelota!

¿Quién quiere a Ratón?

Feliz cumpleaños Ratón

Sólo para ti

1

2

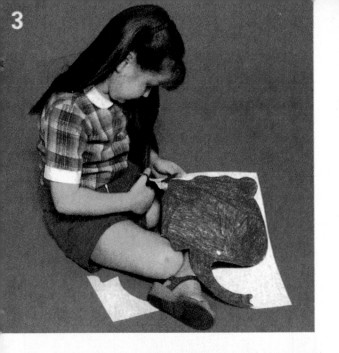

Grande y pequeño

Trabajar juntos

El <u>papalote</u> azul <u>y</u> amarillo

Ratón tiene un papalote.

El papalote es azul y amarillo.

A Ratón le gusta el papalote azul y amarillo.

 ¡Ratón, quiero <u>volar</u> el papalote!

¡Quiero hacer volar y volar
el papalote!

<u>Yo</u> quiero el papalote, Elefante.

<u>Yo</u> quiero hacer volar el papalote.

 ¡Puedo volar el papalote azul
y amarillo!

¡Puedo volar el papalote hasta el sol!

 ¡El papalote está en la  cueva !

¿Está el murciélago en la  cueva ?

 El murciélago está en la  .

 ¡El murciélago tiene el papalote!

¡Yo quiero el papalote!

Ven a la cueva

 Ven, Ratón.

Ven a la cueva .

Tú quieres el papalote.

Yo te daré el papalote.

 Elefante, <u>ve</u> tú con el murciélago.

Entra en la  cueva con el murciélago.

El murciélago te dará el papalote.

Un ratón es como un murciélago.

 Ratón, vé tú con el murciélago.

Entra en la cueva con
el murciélago.

El murciélago te dará el papalote.

 **¡Ratón y Elefante, entren!**

 Yo entraré <u>contigo</u>, Elefante.

 Yo entraré contigo, Ratón.

 **¡Entren, entren!**

El murciélago le da el papalote a Ratón.

¡La cueva no es para un papalote!

¡La cueva no es para Ratón!

¡La cueva no es para Elefante!

¡La cueva es para un murciélago!

Grande y pequeño

Diversión en el lago

El lago

 Ven al lago, Ratón.

Ven al lago a comer.

 Me gusta el lago.

Me gusta comer.

Iré contigo.

Ratón corre hasta el lago con Elefante.

Ratón tiene una manzana roja grande.

La manzana roja es muy grande para Ratón.

 Mi manzana roja es grande.

 Yo te guardaré la manzana.

Ratón le da la manzana a Elefante.

Ratón y Elefante corren hacia el lago.

 Me gusta ir al lago
a comer manzanas.

 Quiero comerme mi manzana
roja grande.

Ratón ve la manzana.

 ¡No me puedo comer mi manzana roja!

 Cómete mis manzanas pequeñas, Ratón.

Ratón no se comerá la manzana roja grande.

Ratón comerá manzanas pequeñas.

El divertido <u>paseo</u> en <u>lancha</u>

  ¡<u>Mi</u>ra el mapache en la lancha!

Quiero pasear en la lancha.

 Pasea tú en la lancha.

Yo quiero comer <u>pas</u>tel.

 Come tú el pastel.

Yo quiero <u>saltar</u> a la lancha.

Quiero pasear con el  mapache .

Ven, salta a mi lancha.

Salta a mi lancha para pasear.

Elefante, ven a comer el pastel en mi lancha.

Ven, salta a mi lancha.

Ratón y Elefante saltan a la lancha.

Elefante no puede saltar con el pastel.

¡Elefante ve caer el pastel!

 ¡Mi pastel está en el lago!

Quiero mi pastel.

Elefante salta al lago.

Elefante se come un pastel <u>chistoso</u>.

 Yo me comeré mi pastel.

Ratón, tú pasea en la lancha.

Ratón y el mapache se ríen.

Ven a pasear con Elefante

 Quiero ir a pasear.

¿Sabes volar el chistoso  avión

 Yo puedo volar el chistoso  avión

Ven a dar un paseo.

Elefante se sube.

Ratón es pequeño.

Ratón no puede subir.

¿Irá Ratón a dar un paseo?

Ratón irá con Elefante.

Ratón irá a pasear

en el avión chistoso.

¿A quién verán Ratón y Elefante?

 Veo a Oso y al murciélago.

¡Veo la lancha y el lago!

¡Veo mi casa y la  cueva !

 Me gusta volar un  avión chistoso.

 Me gusta pasear en un  avión chistoso.

Me caes bien

por Masuhito

Aunque te vi
antes de ayer,
y ayer y hoy,
has de saber
¡que quiero verte mañana también!

Lista de palabras

6 – 17

gorro

ratón

da

elefante

muy

largo

gusta

carcajada

divertido

reír

suelta

dibujar

gracioso

18 – 33

patear

pelota

es

grande

no

queda

correr

quiere

34 – 45

papalote

y

volar

yo

murciélago

está

ven

tú

ve

entra

46 – 63

lago

comer

manzana

roja

paseo

lancha

mira

pastel

saltar

caer

chistoso

Tú y yo

PROGRAM AUTHORS

Richard L. Allington
Ronald L. Cramer
Patricia M. Cunningham
G. Yvonne Pérez
Constance Frazier Robinson
Robert J. Tierney

PROGRAM CONSULTANTS

George Blanco
Bernadine J. Bolden
Fred Chávez
Ann Hall
Sylvia M. Lee
Dolores Pérez
Jo Ann Wong

CRITIC READERS

María P. Barela
Phinnize J. Brown
Jean C. Carter
Gabriela Mahn
Nancy Peterson
Nancy Welsh
Kay Williams

John C. Manning, *Instructional Consultant*

SCOTT, FORESMAN AND COMPANY
Editorial Offices: Glenview, Illinois

Regional Sales Offices: Palo Alto, California •
Tucker, Georgia • Glenview, Illinois •
Oakland, New Jersey • Dallas, Texas

ACKNOWLEDGMENTS

Text
Adaptation of "Take One Apple" from EATS by Arnold Adoff.
Copyright © 1979 by Arnold Adoff. By permission of Lothrop,
Lee & Shepard Books (A Division of William Morrow &
Company) and Curtis Brown, Ltd.

Artists
Beckes, Shirley: Page 63;   Cogancherry, Helen: Pages 21, 62;
Eberbach, Andrea: Pages 42–43;   Frederick, Larry: Pages 22–23;
Halverson, Lydia: Pages 6–20;   Koch, Carl: Pages 30–35;
Magnuson, Diana: Pages 24–29;   Miyoke, Yoshi: Pages 50–55;
Nicklaus, Carole: Pages 44–49;   Patterson, Diane: Pages 38–41

Photography
Roessler, Ryan: Pages 36–37, 56–61

Cover Artist
Marla Frazee

Under the direction of Scott, Foresman and Company,
developed and produced by Educational Challenges, Inc.

Contenido

Sección uno   **5**   Tú y yo

Unidad 1 ◆   7   ¿Quién es Caperucita Roja?

8   Caperucita Roja

14   ¿Verá Caperucita roja a Abuelita?

21   Tomas una manzana
por Arnold Adoff

Unidad 2 ◆ 22   Usar cosas

24   Burbujas en la sala

30   El sartén feliz

36   Sólo para ti

38 Hola, gatito

(un cuento de dibujos sin palabras)

Unidad 3 ◆ 42 Ayudar

44 A Rita le gusta la pizza

50 Mamá recibe un pastel

Unidad 4 ◆ 56 Un libro para Dan

62 Quiero leer
por Laurie Michaels

63 Libros para leer

64 Lista de palabras

Cuentos por:
Liane Beth Onish
Sallie Runck
Mary McCarroll White

Tú y yo

¿Quién es Caperucita Roja?

Caperucita Roja

Caperucita Roja quiere ver a Abuelita.

 Puedo poner manzanas en mi  canasta .

Puedo poner grandes manzanas rojas

en mi  canasta para Abuelita.

 Caminaré a ver a Abuelita.

Me gusta oír el  pájaro rojo.

A Abuelita le gusta oír el pájaro.

Abuelita saldrá para oír

el  pájaro rojo.

 Hola, Caperucita Roja, hola.

Hola,  hola.

Tengo manzanas rojas.

Tengo grandes manzanas rojas para Abuelita.

Puse las manzanas en mi canasta.

Caperucita Roja caminará a ver a Abuelita.

Yo no caminaré.

Yo correré para ver a Abuelita.

 ¡Hola, Abuelita, hola!

La abuelita se asusta.

Abuelita sale corriendo.

El lobo entra en la casa.

 Hola, Abuelita, hola.

Puse manzanas en mi  canasta .

Sal a comer y a jugar.

Sal a oír el pájaro .

¡Levántate, Abuelita, levántate!

¿Verá Caperucita Roja a Abuelita?

 Hola, Caperucita Roja, hola.

Entra en la casa.

No puedo levantarme para verte.

No puedo levantarme para jugar.

Caperucita Roja entra en la casa.

 ¡Abuelita, qué ojos tan grandes tienes!

 ¡Son para verte mejor!

 ¡Abuelita, qué orejas tan grandes tienes!

¡Son para oírte mejor!

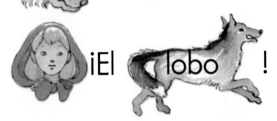 ¡Abuelita, qué  tan grandes
tienes!

¡Son para comerte mejor!

¡El lobo !

Caperucita Roja se asusta.

Caperucita Roja sale corriendo.

El  sale corriendo.

 ¡Oigo a Caperucita Roja!

¡Oigo a un  !

 El  quiere atrapar a

Caperucita Roja.

El lobo no atrapará a

Caperucita Roja.

Asustaré al  .

El leñador asusta al lobo .

 Me cae bien, Leñador.

Venga a comer manzanas.

Puse manzanas en mi  canasta .

Puse grandes manzanas rojas en mi

 canasta .

Para que lo lea el maestro

Tomas una manzana

por Arnold Adoff

Tomas una manzana,
la lavas, la secas,
la muerdes con gana,
la comes entera y luego
tomas otra manzana.

Tú y yo

Usar cosas

Burbujas en la sala

¿Quién quiere jugar?

¿Quién puede correr hasta la mesa?

¿Quién puede guardar las

burbujas en la bandeja?

Una niña corrió con la bandeja.

La niña corrió hasta la mesa.

 ¡Tengo burbujas en mi bandeja!

¡Corrí con las burbujas !

Un niño corrió con la bandeja.

El niño corrió hasta la mesa.

 Tengo burbujas en mi bandeja.

¡Corrí con las burbujas !

Tim corrió con la bandeja.

El  perrito entró corriendo en la sala.

El perrito corrió hasta la mesa.

Tim vio al perrito saltar.

¡No saltes!

Tim vio la bandeja volar hacia la mesa.

Tim vio **burbujas** volar hacia la mesa.

Tim vio **burbujas** volar en la sala.

¡No, no!

No tengo burbujas en mi bandeja.

Pero tengo burbujas en la sala.

No tengo pastel para comer.

Pero sí tengo un perrito chistoso.

El sartén feliz

 Voy a hacer un pastel en el sartén.

 Pero un pastel no se hace en un sartén feliz.

Quiero una  .

El sartén corrió a buscar una planta .

Un ratón vio el sartén.

El ratón puso el sartén en el lago.

 Me gustan los barcos.

El sartén es un buen barco.

 Pero yo quiero encontrar una .

El sartén corrió a buscar una .

Un oso vio el sartén.

El oso corrió con el sartén.

 Me gustan los papalotes.

Un sartén es un buen papalote.

 Pero yo quiero encontrar una planta  .

El sartén corrió a buscar una planta .

El sartén llegó a una casa.

El sartén vio a una niña en la cocina.

El sartén vio una en la cocina.

¡Me gusta esa !

¡Me gusta, me gusta!

¿Quieres un sartén feliz?

¿Quieres un sartén feliz

para tu planta ?

La niña puso la planta en el

sartén feliz.

El niño no tiene sartén para pasteles.

El ratón no tiene barco.

El oso no tiene papalote.

Pero yo sí tengo una planta.

¡Una planta queda bien en un sartén feliz!

Sólo para ti

1.

2.

3.

4.

5.

Hola,  gatito

Dar ayuda

A Rita le gusta la pizza

Rita dijo, "Hola, Abuelita."

Abuelita dijo, "Hola, Rita.

Dejé un poco de pizza sobre

la mesa para ti."

Rita vio un sombrero,

pero no vio pizza.

Rita dijo, "¡Tengo que hablar con usted!

No puedo encontrar mi pizza."

Abuelita dijo, "La dejé

sobre una mesa.

Saldré a buscar la pizza."

Abuelita y Rita salieron por la puerta.

John se acercó a la puerta.

Abuelita dijo, "Habla tú con John.

Yo iré a buscar tu pizza."

Rita dijo, "Hola John.

Abuelita dejó una pizza

sobre una mesa.

Pero Abuelita y yo no

podemos encontrar la pizza.

¿Puedes tú encontrarla?"

John dijo, "Sí, yo puedo encontrarla."

John dijo, "Tu pizza está sobre la mesa."

Rita dijo, "Yo veo un sombrero sobre la mesa.

Pero no veo la pizza."

Abuelita dijo, "Yo puedo encontrarla.

¡El sombrero está sobre tu pizza!

¿Quién puso el sombrero sobre tu pizza?"

John dijo, "Yo puse el sombrero sobre <u>ella</u>.

Vi una mosca en la mesa.

¿Quiere que una mosca se

coma la pizza?"

Abuelita dijo, "¡No, no, la pizza

es para Rita!"

Mamá recibe un pastel

Ben corrió a hablar con papá.

Ben corrió a la puerta.

Ben dijo, "Yo puedo hacer un pastel
para Mamá."

Papá dijo, "Yo te ayudaré.
Pero Sue tiene mi molde rojo."

Ben corrió a hablar con Sue.

Ben corrió a la puerta.

Ben dijo, "Quiero hacer un pastel.

¿Tienes tú el molde rojo?"

Sue dijo, "Sí.

Pero tengo pinturas en él."

Ben corrió a hablar con Papá.

Ben dijo, "Sue tiene pinturas en
tu molde rojo."

Papá dijo, "Tengo un molde café.

Puedo hacer pasteles en él.

Sí, puedo hacer pastelitos.

Haré pastelitos para ti."

Papá dijo, "Tú ve a jugar.

Los pastelitos se cocerán."

Ben salió corriendo.

Ben entró corriendo para hablar con Papá.

Ben vio los pastelitos.

Papá dijo, "Yo puedo hacer pastelitos.

¿Puedes tú hacer un pastel grande para Mamá?"

Ben dijo, "¡Sí, puedo!

Puedo hacer un pastel grande para Mamá."

Ben dijo, "¿Te gusta el pastel?"

Papá dijo, "¡Sí, me gusta!

¡A Mamá le gustará tu pastel!

Vé a la puerta.

¡Dale el pastel a Mamá!"

Un libro para Dan

El Sr. Green puso un libro en la mesa.

El Sr. Green dijo, "Tengo un libro.

Es un buen libro para leer.

Les gustará."

Dan dijo, "Quiero llevar el

libro a mi casa.

Quiero que mi mamá vea el libro."

El Sr. Green dijo, "Llévatelo.

Pero no te quedes con él mucho tiempo."

Dan dijo, "¡A mi mamá le gustará

el libro!"

Una niña dijo, "No.

A tu mamá no le gustará.

¡A tu mamá le gustará <u>mi</u> libro!"

Un niño dijo, "A tu mamá no le

gustará tu libro, Dan.

¡No, a tu mamá le gustará <u>mi</u> libro!"

Dan vio a su mamá.

Mamá dijo, "Hola, Sr. Green.

Me tengo que llevar a Dan."

Dan dijo, "¡Mamá, mira mi libro!

¡Mira quién está en el libro!"

Mamá vio el libro.

Mamá dijo, "¡Me gusta el libro!"

Dan dijo, "¡Ya ven!

A mi mamá le gusta.

Mamá y yo leeremos el libro."

Para que lo lea el maestro

Quiero leer

por Laurie Michaels

Quiero leer
un libro contigo.
Me gusta el libro
y te gustará, amigo.
Vamos a leer y reír
para pasar el tiempo.
Leer un libro hace pasar
un día callado y lento.

Libros para leer

Burbujita
por Montse Ginesta

Burbujita es un simpático elefantito. Lee el libro y podrás hacer un títere igual a Burbujita.

Cómo crecen los gatitos
por Millicent E. Selsam

La mamá gata tuvo cuatro gatitos. Ella los cuida y los gatitos se cuidan unos a otros. Vean las lindas fotos de la nueva familia.

Lista de palabras

6 – 21	22 – 41	42 – 64
abuelita	sala	pizza
poner	mesa	dijo
caminaré	bandeja	dejé
oír	hacia	sobre
hola	pero	sombrero
asusta	sartén	hablar
sale	feliz	encontrar
levántate	buscar	puerta
qué	barcos	acercó
tan	buen	ella
mejor	llegó	mosca
atrapar	cocina	molde
	esa	él
	sí	café